BÉLA BARTÓK
MIKROKOSMOS

153 Progressive Piano Pieces
153 Pièces de piano progressives
153 Klavierstücke, vom allerersten Anfang an
Zongoramuzsika a kezdet legkezdetétől

4 *Nos. 97–121*

New Definitive Edition 1987
Neue, revidierte Ausgabe 1987

BOOSEY &HAWKES

Boosey & Hawkes Music Publishers Ltd
www.boosey.com

Contents
VOLUME 4

Index
4E VOLUME

Inhalt

Tartalom

During the period when I knew him my father generally accepted only advanced piano students. Nevertheless, when I was about nine years old (1933), he agreed to start teaching me from the very beginning.

His teaching programme did not follow an accepted 'piano school' technique. At first I was to sing only. Later, exercises were improvised, directed partly at the independent control of the fingers. In the course of our lessons he sometimes asked me to wait while he sat down at his desk, and I would hear only the scratching of his pen. In a few minutes he would bring to the piano an exercise, or a short piece, that I was to decipher right away and then learn for our next lesson.

So were born some of the easier pieces in these volumes. However, he kept on producing others at a much faster rate than I could learn them. He wrote the little compositions as the ideas occurred to him. Soon there was a large collection to choose from, so I could learn those assigned to me from a fair copy of the manuscripts.

Eventually my father arranged the pieces in a progressive order for publication. He explained his choice of title thus:

'The *Mikrokosmos* is a cycle of 153 pieces for piano, written with a didactic purpose. That is, to give piano pieces which can be used from the very beginning, and then going on, it is graded according to difficulties. And the word *Mikrokosmos* may be interpreted as a series of pieces in many different styles, representing a small world. Or it may be interpreted as ''world of the little ones, the children''.' [Interview broadcast by WNYC, New York, in early 1945, on a programme entitled *Ask the Composer*.]

For the present edition (1987) all known manuscript sources have been compared with the original printed versions (first published in London and New York in April 1940) and errors have been corrected in the effort to make this a definitive edition. I wish to record my thanks in particular to Eve Beglarian, for her work in comparing manuscripts with the printed editions and determining the necessary corrections; to György Sándor for offering suggestions and assistance in deciding a number of musical problems; to László Somfai, of the Budapest Bartók Archive, for making available copies of material in the Archive's possession, and to Jean-Marie Cassagne, Alliance Française de Miami, for partial revision of the French texts. The translations have been finally revised by Gale Garnett (English verses), Ellen L. Spiegel (French texts and verses) and Jörg Behrendt (German texts and verses).

PETER BARTÓK
Homosassa, Florida, 1987

Durant la période où j'ai connu mon père il n'acceptait que des étudiants de piano avancés. Lorsque j'eus 9 ans (en 1933), il consentit pourtant à m'enseigner à partir du début.

Son programme ne suivit point une méthode d'enseignement des ''écoles de piano''. Au début je chantais seulement. Plus tard, il improvisa des exercices pour développer en partie le contrôle indépendant des doigts. A l'occasion, j'attendais durant nos leçons pendant qu'il s'asseyait à son bureau et je n'entendais que le grincement de sa plume. Quelques minutes plus tard il apportait au piano un exercice ou une petite composition que je devais déchiffrer immédiatement et ensuite étudier pour notre prochaine leçon.

C'est ainsi que certains des morceaux faciles de ces volumes sont nés. Cependant, il continuait à en inventer d'autres plus vite que je ne pouvais les apprendre. Il écrivait ces petites compositions d'une façon spontanée. Bientôt, il y eut toute une collection, et je pouvais étudier les pièces qui m'étaient assignées à partir d'une bonne copie du manuscrit.

Plus tard, lors de la publication, mon père arrangea les pièces dans un ordre progressif. Il expliqua son choix du titre ainsi:

''Le *Mikrokosmos* est un cycle de 153 pièces pour piano, écrit dans un but didactique. Cela veut dire qu'on commence avec des morceaux faciles et on continue en progression plus difficile. Et le mot *Mikrokosmos* peut être interprété comme une série de pièces de styles différents, représentant un petit monde. Ou on peut le comprendre comme le 'monde des petits, des enfants'.'' [Entrevue donnée à la radio WNYC, New York, au début de 1945, lors d'une émission intitulée *Demandez au Compositeur*.]

Pour la présente édition (1987) toutes les sources de manuscrit connues ont été comparées avec les versions originales imprimées (parues pour la première fois à Londres et à New York en Avril 1940), et toutes les erreurs ont été corrigées afin d'arriver à cette édition définitive. Mes remerciements les plus sincères vont à Eve Beglarian qui a comparé les manuscrits avec les éditions imprimées et qui a déterminé les corrections nécessaires; à György Sándor pour ses conseils et son assistance; à László Somfai des Archives Bartók à Budapest pour les copies des documents appartenant aux Archives, et à Jean-Marie Cassagne, Alliance Française de Miami, qui a révisé partiellement les textes français. La révision finale des traductions est l'oeuvre de Gale Garnett (paroles de chansons anglaises), Ellen L. Spiegel (paroles et textes français) et Jörg Behrendt (paroles et textes allemands).

PETER BARTÓK
Homosassa, Floride, 1987

Vorwort

ZUR REVIDIERTEN UND AUTORISIERTEN AUSGABE
DES ,,MIKROKOSMOS''

Während der Zeit, die ich mit meinem Vater verbrachte, nahm er gewöhnlich nur fortgeschrittene Klavierschüler an. Er entschied sich dann aber doch, und zwar als ich ungefähr 9 Jahre alt war (1933), mich als Anfangsschüler zu akzeptieren.

Sein Lehrprogramm folgte durchaus nicht der bewährten Methode irgendeiner ,,Klavierschule''. Zu Beginn mußte ich nur singen. Später wurden Übungen improvisiert, die zum Teil die unabhängige Kontrolle der Finger zum Ziel hatten. Manchmal bat er mich im Verlauf unserer Klavierstunde zu warten, während er sich an seinen Schreibtisch setzte, und ich nur das Kratzen seiner Feder vernahm. Ein paar Minuten später brachte er mir dann gewöhnlich eine Übung oder ein kurzes Stück, das ich sogleich entziffern und später für die nächste Stunde einstudieren mußte.

Auf diese Weise entstanden einige der leichteren Stücke in diesen Bänden. Mein Vater schrieb jedoch zusätzliche Stücke schneller als ich sie lernen konnte. Er schrieb die kleinen Kompositionen nieder, sobald ihm die Idee dafür gekommen war. Bald stand eine ausgiebige Sammlung von Stücken zur Wahl, und ich konnte die, die mir zum Lernen aufgegeben wurden, mit einer recht guten Kopie des Manuskripts einstudieren.

Später stellte mein Vater die Stücke in einer progressiven Ordnung zusammen, um sie zu veröffentlichen. Er erklärte die Wahl des Titels folgendermaßen:

,,Der *Mikrokosmos* ist ein Zyklus von 153 Stücken für Klavier, zu didaktischen Zwecken geschrieben. Das bedeutet, daß von Anfang an kleine Klavierstücke geübt werden können, um dann darauf weiter aufzubauen, da die Stücke entsprechend ihrem Schwierigkeitsgrad angeordnet sind. Das Wort *Mikrokosmos* kann als eine Serie von Stücken in verschiedenen Stilen verstanden werden, die zusammen eine kleine Welt bilden. Oder man kann es als ,die Welt der Kleinen, der Kinder' verstehen.'' [Aus einem Interview des WNYC, New York, Anfang 1945, im Rahmen einer Sendung mit dem Titel *Fragen Sie den Komponisten*.]

Für die vorliegende Ausgabe sind alle bekannten Manuskriptquellen mit den ursprünglichen, gedruckten Fassungen verglichen worden (erschienen in London und New York im April 1940). Alle Irrtümer sind für diese neue, revidierte und autorisierte Ausgabe berichtigt worden. Ich möchte an dieser Stelle meinen Dank für die mir zuteil gewordene Unterstützung aussprechen, insbesondere an Eve Beglarian für ihren Vergleich der Manuskripte mit den gedruckten Ausgaben und für die notwendigen Berichtigungen; an György Sándor für Vorschläge und Hilfe zur Lösung einer Anzahl von Fragen; an László Somfai vom Bartók Archiv, Budapest, für die Bereitstellung von Kopien von Material, das sich im Besitz des Archivs befindet, und an Jean-Marie Cassagne, Alliance Française de Miami, für die teilweise Revision der französischen Texte. Die Übersetzungen sind von Gale Garnett (englische Liedertexte), Ellen L. Spiegel (Text und Liedertexte in französischer Sprache) und Jörg Behrendt (Text und Liedertexte in deutscher Sprache) überarbeitet worden.

PETER BARTÓK
Homosassa, Florida, 1987

Előszó

A ,,MIKROKOZMOSZ'' GONDOSAN JAVÍTOTT
KIADÁSÁHOZ

Abban az időben, amikor őt ismertem, Apám általában csak haladó zongoranövendékek tanítását vállalta. Mindazonáltal, amikor körülbelül kilenc éves voltam (1933), beleegyezett, hogy engem kezdettől fogva tanítson.

A tanítási módszere nem követte egy már elfogadott ,,zongora iskola'' tervét. Az első időkben csak énekelnem volt szabad. Később rögtönzött számomra gyakorlatokat, amik részben az ujjak egymástól független mozgatása fejlesztésére irányultak. A leckéink alatt néha megkért, hogy várjak egy kicsit; közben leült az íróasztalhoz, és egy kis ideig csak a tolla zizegését hallottam. Pár perc múlva hozta a zongorához egy gyakorlat vagy rövid darab friss kótáját, amit nyomban meg kellett próbálnom lejátszani; a következő leckére elvárta, hogy megtanuljam.

Így született az ezekben a füzetekben található könnyebb darabok némelyike. Azonban sokkal nagyobb számban produkálta őket, mint amennyit meg tudtam volna tanulni. Ahogy a gondolatok eszébe jutottak, úgy írta a kis darabokat; rövidesen volt már egy nagy köteg és a letisztázott kézirat fénymásolatából játszottam azokat, amiket számomra kijelölt.

Végül a sok darabot nehézségi fokozat szerint sorrendbe szedte kiadás céljából. A sorozat címe jelentését így magyarázta:

,,A *Mikrokozmosz* 153 számból álló, tanítási célra írt, zongoradarab sorozat. Az az elképzelés, hogy legyenek darabok, amiket a kezdettől fogva lehessen használni; a nehézség szerint vannak sorrendbe szedve. Azt a szót, *Mikrokozmosz*, értelmezhetjük mint egy kis világot képező, különböző fajta darabok sorozatát; vagy pedig úgy is értelmezhetjük, mint ,a kicsik, a gyermekek világát'.'' [Interjú a New York-i WNYC rádióállomáson, 1945 elején, a *Kérdezzük meg a zeneszerzőt* című programban.]

A jelen (1987-es) kiadás előkészítésében minden meglévő kézirat-változatot összehasonlítottunk az eredeti nyomtatott kótával (először Londonban és New Yorkban, 1940 áprilisában jelent meg), és minden hibát kijavítottunk, hogy ezt a kiadást gondosan javítottnak lehessen tekinteni. Köszönetemet fejezem ki elsősorban Eve Beglarian-nak, aki a nyomtatott kótákat összehasonlította a kéziratokkal a hibák megállapítása végett; Sándor Györgynek, aki egyes zenei kérdésekben megoldást javasolt; Somfai Lászlónak, aki a budapesti Bartók Archivum idevonatkozó anyagáról másolatot adott, és Jean-Marie Cassagne-nak (Alliance Française de Miami), aki a francia szövegfordításokban segített. A fordítások végleges szövegét Gale Garnett (angol versek), Ellen L. Spiegel (francia versek és szövegek) és Jörg Behrendt (német versek és szövegek) készítették.

BARTÓK PÉTER
Homosassa, Florida, 1987

Preface

BY THE COMPOSER

The first four volumes of *Mikrokosmos* were written to provide study material for the beginner pianist – young or adult – and are intended to cover, as far as possible, most of the simple technical problems likely to be encountered in the early stages. The material in volumes 1–3 has been designed to be sufficient in itself for the first, or first and second, year of study. These three books differ from a conventional 'piano method' in that technical and theoretical instructions have been omitted, in the belief that these are more appropriately left for the teacher to explain to the student. In many instances a number of pieces are provided which relate to similar specific problems; teachers and students thus have an opportunity to make their own selection. In any case it is neither necessary, nor perhaps even possible or permissible, for every student to learn all ninety-six pieces.

To facilitate the teacher's task, exercises are included in an appendix to each of the first four volumes. The numbers in parentheses next to each exercise-number indicate the pieces containing problems to which the exercise relates. Sometimes the same technical problem is dealt with in more than one exercise. Again, the teacher should make a selection according to the student's ability, giving the more difficult exercises to the more able student and the easier ones to those with less skill. These exercises should be studied some time in advance of, and not immediately before, attempting to learn the pieces containing the related problems. It will be obvious that no really elementary exercises have been included, e.g. five-finger exercises, 'thumb-under', simple broken triads, etc.; in this respect too, there has been a departure from the customary 'piano method' approach. In any event, every teacher will be familiar with suitable exercises at this level, and will be able to judge what the student can play.

The progressive sequence of the pieces and exercises as to technical and musical difficulty is only an approximation; the teacher may modify the given order taking account, as appropriate, of the student's ability. The metronome markings and indicated duration should be regarded only as a guide, particularly in volumes 1–3; the first few dozen pieces may be played at a faster or slower *tempo* as circumstances dictate. As progress is made, the *tempi* should be considered as less variable, and in volumes 5 and 6 *tempo* indications must be adhered to. An asterisk (*) next to the number of a piece means that a corresponding explanatory note will be found in the Appendix to the volume.

A second piano-part has been provided for four pieces – Nos. 43, 44, 55 and 68. It is important that students begin ensemble-playing at the earliest possible stage. Of course the pieces written for two pianos can only be used in a classroom teaching situation where – as they should be – two pianos are available. Four other pieces – Nos. 65, 74, 95 and 127 – are written as songs with piano accompaniment. All instrumental study or training should really commence with the student singing. Where this has been the case, the performance of pieces for voice and piano should not be hard

to accomplish. Such pieces offer very useful practice in reading three staves instead of two, the student singing while playing the accompaniment at the same time. To make things easier, solo piano versions of Nos. 74 and 95 have also been supplied. This version should be learned first, and only afterwards should the student turn to the version for voice and piano. Various performance possibilities for No. 65 will be found in the Appendix to volume 2.

Work on volume 4 may – indeed should – be combined with the study of other compositions such as the *Note Book for Anna Magdalena Bach* by J. S. Bach, appropriate studies by Czerny, etc. Transposition of the simpler pieces and exercises into other keys is recommended. Even transcription of suitable pieces from volumes 1–3 may be attempted. Only 'strict' transcription is implied here, for instance at first doubling octaves as on a harpsichord. Additionally, certain pieces could be played on two pianos, an octave apart, e.g. Nos. 45, 51, 56 etc. More adventurous modifications might be attempted such as simplifying the accompaniment to No. 69 (volume 3):

etc., though the adaptation of bars 10–11, 14–15, 22–23, 26–27, 30 and 32–33 may call for a fair amount of mental agility. Many more opportunities exist in this area: their proper solution should be dictated by the teacher's or the more resourceful students' ingenuity.

And while on the subject of transcriptions, it may be noted that some pieces – among easier ones Nos. 76, 77, 78, 79, 92 and 104b; among the more difficult Nos. 117, 118, 123 and 145 – are suitable for playing on the harpsichord. On this instrument, doubling octaves is achieved by registration.

Finally, attention is drawn to another application of *Mikrokosmos*: more advanced students may find the pieces useful as sight-reading material.

BÉLA BARTÓK

Préface
DU COMPOSITEUR

Les quatre premiers cahiers de cette collection de morceaux pour piano ont été conçus dans le but d'offrir à tout débutant – jeune ou moins jeune – un matériel d'étude comprenant autant que possible tous les problèmes techniques simples qu'il puisse rencontrer. Nous pensons que le trois premiers cahiers devraient être suffisants pour la première année (ou la première et la deuxième année). Ces trois cahiers diffèrent d'une "méthode" classique par l'absence de toute description technique ou théorique. Nous estimons que les explications que peut fournir oralement un professeur seront plus utiles. Dans ces cahiers, il y a plutôt trop de morceaux traitant du même problème que trop peu, afin de permettre au professeur ou à l'élève de choisir les morceaux qu'il préfère étudier. En tout cas il n'est ni nécessaire, ni peut-être même possible ou permis que chaque élève joue la totalité des 96 morceaux.

Pour faciliter le travail pédagogique, des exercices ont été ajoutés aux quatre premiers cahiers. Les chiffres entre parenthèses à côté du numéro des exercices renvoient aux morceaux dont les problèmes techniques sont traités dans l'exercice correspondant. Pour certains problèmes, plusieurs exercices sont prévus, laissant au professeur le choix des exercices à donner – les plus difficiles pour les élèves doués, les plus faciles pour les moins doués. Il est recommandé d'aborder ces exercices bien avant (et non pas immédiatement avant) l'étude du morceau correspondant. Evidemment des exercices très élémentaires comme ceux pour les cinq doigts, le pouce en-dessous ou les accords brisés simples, ne figurent pas dans ces cahiers, ce qui constitue une autre différence entre cette publication et une "méthode" plus traditionnelle. Tout professeur devrait connaître ou inventer de tels exercices: il lui appartient d'en fournir à ses élèves.

Les morceaux et exercices sont groupés dans un ordre de difficulté technique et musicale croissante (qui n'est qu'approximatif); toutefois le professeur peut modifier cet ordre en fonction des capacités de ses élèves. De même, les indications métronomiques et la durée d'exécution, surtout dans les trois premiers cahiers, ne sont données qu'à titre indicatif. Les premières dizaines de morceaux peuvent être jouées plus vite ou plus lentement, selon les circonstances. En fonction de ses progrès, on demandera à l'élève de respecter le rythme original de façon de plus en plus stricte. Pour les morceaux des cinquième et sixième cahiers, le tempo indiqué est obligatoire. Un astérisque (*) à côté du numéro d'un morceau signale qu'une note explicative se trouve en appendice.

On trouvera également une partie de second piano pour les quatre morceaux suivants: les nos. 43, 44, 55, 68. Il est important que les élèves se mettent à jouer ensemble le plus tôt possible. Ces morceaux ne peuvent être exécutés ainsi, bien sûr, que dans le cadre d'une classe où l'on dispose – comme ce devrait toujours être le cas – de deux pianos. Il y a aussi quatre morceaux (les nos. 65, 74, 95, 127) composés pour une voix avec accompagnement de piano. Tout enseignement instrumental devrait commencer par des exercices vocaux. Abordée cette maniére, l'étude de tels morceaux pour chant et piano devrait être facile et très utile, car elle fait passer l'élève d'une lecture à deux portées vers une lecture à trois portées (l'élève doit donc chanter en s'accompagnant lui-même). Les numéros 74 et 95 sont aussi transcrits pour piano seul. Il faut commencer par cette transcription et la travailler à fond avant de passer à la version pour chant et piano. Plusieurs façons de jouer le numéro 65 sont indiquées dans l'appendice du deuxième cahier.

L'étude du quatrième cahier peut – et doit même – se combiner avec l'étude d'autres oeuvres (par exemple, les morceaux faciles du "Petit livre d'Anna Magdalena Bach" de Jean-Sébastien Bach, ou les exercices correspondants chez Czerny). Il est conseillé de faire transposer les morceaux et les exercices les plus faciles. D'ailleurs on pourrait s'essayer à la transcription des morceaux appropriés des trois premiers cahiers. Naturellement, nous parlons ici d'une transcription "stricte", employant principalement des doublements d'octaves à la manière des registres du clavecin. De cette façon, quelques morceaux peuvent être joués à deux pianos si le deuxième exécutant joue le même morceau à l'octave supérieure (les nos. 45, 51, 56 etc.). On pourrait même entreprendre des modifications plus importantes; par exemple, en simplifiant l'accompagnement du morceau no. 69 comme suit:

etc. Il n'y aura de petites difficultés que dans les mesures 10–11, 14–15, 22–23, 26–27, 30 et 32–33. Des occasions pour effectuer un travail semblable ne manquent pas, et le résultat dépendra de l'ingéniosité du professeur ou des élèves les plus habiles.

Au chapitre transcriptions, il faut faire remarquer que quelques morceaux – les numéros 76, 77, 78, 79, 92, 104b, parmi les plus faciles, et les numéros 117, 118, 123, 145, parmi les plus difficiles – conviennent aussi au clavecin. Sur cet instrument, les doublements d'octaves s'effectueront grâce à la régistration.

On peut également envisager une autre utilisation de ce matériel: l'élève de niveau avancé peut s'en servir comme exercices de déchiffrage.

BÉLA BARTÓK

Vorwort
DES KOMPONISTEN

Die ersten vier Hefte dieser Sammlung von Klavierstücken sollen dem Anfänger – ob jung oder alt – die Möglichkeit bieten, alle Probleme, denen der zukünftige Pianist zu Beginn begegnet, kennenzulernen. Die ersten drei Hefte sind für das erste Jahr oder auch für die ersten beiden Jahre des Klavierspiels bestimmt. Diese drei Hefte unterscheiden sich von der klassischen Methode durch den Verzicht auf jede technische oder theoretische Erklärung. Jeder Lehrer weiß, was zu diesem Thema zu sagen ist, und kann die ersten Anweisungen selbst geben, ohne sich auf ein Buch oder eine Methode beziehen zu müssen. Einzelne Probleme sind hier oft in mehreren Stücken behandelt, um Lehrer und Schüler die Auswahl zu überlassen. Es ist also nicht notwendig, vielleicht nicht einmal möglich oder wünschenswert, daß jeder Schüler alle 96 Stücke übt.

Am Schluß der ersten vier Hefte befinden sich Übungen, deren eingeklammerte Zahlen sich jeweils auf ein Stück mit dem gleichen technischen Problem beziehen. Für einige Probleme sind mehrere Übungen vorgesehen. Der Lehrer wird am besten die schwereren für die begabten Schüler auswählen, die leichteren für die weniger begabten. Wir empfehlen, die Übungen durchzuarbeiten, bevor (und zwar einige Zeit und nicht unmittelbar bevor) mit den Stücken begonnen wird. Es braucht wohl kaum gesagt zu werden, dass die gängigsten Übungen (gewöhnliche Fünf-Finger-Übungen, Daumenuntersatz, Arpeggien) im Gegensatz zu den üblichen Schulen in dieser Veröffentlichung nicht enthalten sind. Jeder Lehrer kennt solche Übungen und muß sie gegebenenfalls selbst erfinden können.

Die Stücke und Übungen sind entsprechend ihrer technischen oder musikalischen Schwierigkeit annähernd fortschreitend angeordnet. Doch kann der Lehrer diese Reihenfolge je nach Begabung des Schülers ändern. Die Metronombezeichnungen und Angaben der Stückdauer brauchen nur annähernd beachtet zu werden, vor allem in den ersten drei Heften. So können die Stücke für den Anfang langsamer oder schneller gespielt werden. Sobald aber der Schüler Fortschritte macht, ist keine Abweichung mehr gestattet, und die Tempoangaben der beiden letzten Hefte müssen streng eingehalten werden. Das Sternchen (*) neben der Nummer eines Stückes verweist auf eine Anmerkung im Anhang.

Vier der Stücke (Nr. 43, 44, 55, 68) liegen in einer Fassung für zwei Klaviere vor. Sollte im Unterricht ein zweites Klavier vorhanden sein – wie es erforderlich wäre – ist es nämlich ganz besonders wichtig, dem Schüler möglichst früh Gelegenheit zum Zusammenspiel zu geben. Vier andere Stücke (Nr. 65, 74, 95, 127) sind für Gesang mit Klavierbegleitung geschrieben, weil man den Instrumentalunterricht Hand in Hand mit geeigneten vokalen Übungen entwickeln sollte. Auf diese Weise wird die Ausführung der Stücke für Gesang und Klavier keinerlei Schwierigkeiten bereiten. Diese Übungen (der Schüler singt und begleitet sich selbst auf dem Klavier) sind sehr nützlich, um sich an das Lesen von drei Systemen an Stelle von zweien zu gewöhnen. Die Nummern 74 und 95 sind auch für Klavier allein bearbeitet. Man sollte sie zuerst so studieren und erst dann mit der Bearbeitung für Gesang und Klavier beginnen. Für Nr. 65 stehen verschiedene Ausführungsmöglichkeiten im Anhang zu Band 2.

Das vierte Heft soll zusammen mit anderen leichten Stücken, wie dem „Notenbüchlein für Anna Magdalena Bach'', den Etüden von Czerny usw. studiert werden. Der Herausgeber empfiehlt, die leichten Übungen und Stücke in andere Tonarten zu transponieren und sogar die Übertragung von gewissen Stücken aus den ersten drei Heften zu versuchen. Es kann sich dabei aber nur um „strenge'' Übertragungen mit Oktavverdoppelungen nach Art des Cembalos handeln. Einige Stücke (Nr. 45, 51, 56 usw.) können auf zwei Klavieren gespielt werden, wobei der zweite Spieler sie in der oberen Oktave ausführt. Bisweilen können andere Lösungen versucht werden. So könnte die Begleitung von Nummer 69 folgendermaßen vereinfacht werden:

usw. Es würden sich dabei lediglich in den Takten 10–11, 14–15, 22–23, 26–27, 30, 32–33 kleinere Schwierigkeiten ergeben. Es gibt in dieser Art zahlreiche weitere Möglichkeiten für eine phantasievolle, persönliche Arbeitsweise.

Wir möchten an dieser Stelle erwähnen, daß eine gewisse Anzahl von Stücken (von den leichteren Nr. 76, 77, 78, 79, 92, 104b, von den schwereren Nr. 117, 118, 123, 145) auch für das Cembalo geeignet ist. Die Oktaven werden auf diesem Instrument durch Register verdoppelt.

Die fortgeschrittenen Schüler können sich dieser Stücke auch für das Spielen vom Blatt bedienen.

BÉLA BARTÓK

Előszó

ÍRTA A SZERZŐ

Ezeknek a zongoradaraboknak első négy füzete azzal a szándékkal készült, hogy a zongorázni tanulni akarók – akár gyermekek, akár felnőttek – benne a kezdet kezdetétől tanulásra alkalmas, lehetőleg minden egyszerűbb technikai problémára kiterjedő, nehézségi fokozatok szerint rendezett anyagot találjanak. Sőt az 1., 2. és 3. füzet anyagát úgy alakítottuk, hogy elképzelésünk szerint a tanulási idő első vagy kezdeti másfél esztendejére egymagában is elegendő legyen. Zongoraiskolától ez a három füzet csupán abban különbözik, hogy nincsen benne semmi technikai és elméleti leírás: ilyesmit szerintünk helyesebb, ha a tanító élőszóval közöl a tanulóval. Az egyes problémákra vonatkozó daraboból sokszor inkább több van, mint kevesebb, hadd legyen alkalma tanítónak, tanulónak egyaránt, válogatnia a daraboból; vagyis nem kell, sőt talán nem is lehet és nem is szabad egy-egy tanulóval valamennyi 96 darabot betanultatni.

Hogy a nevelőmunkát megkönnyítsük, az első négy füzethez függelékben gyakorlatokat is mellékeltünk. A gyakorlatok sorszáma mellett zárójelbe helyezett szám látható: ez arra a darabra mutat, amelynek problémakörére az illető gyakorlat vonatkozik. Némely technikai problémára több gyakorlat is van, ezekből a tanító tetszése szerint választhat: tehetségesebb tanulók számára a nehezebbeket is, kevésbé tehetségesek számára csak a könnyebbeket. Ajánlatos az egyes gyakorlatokat nem közvetlenül a hasonló problémájú darabok betanítása előtt játszatni, hanem valamivel előbb. Természetesen egészen egyszerű (ötujjas, alátevő, törthármashangzatos stb.) gyakorlatokat nem közlünk; ebben is el akartunk térni a szokásos „zongoraiskola" berendezésétől. Ilyen gyakorlatokat minden tanítónak amúgy is ismernie kell, játszassa ezeket a tanulókkal saját belátása szerint.

A daraboknak és gyakorlatoknak nehézségi fokozatok szerint megállapított sorrendje csak hozzávetőleges: ezen a tanító legjobb belátása szerint változtathat, a tanuló képességeinek mérlegelésével. A M.M. és időtartam jelzést, főleg az 1., 2. és 3. füzetben, szintén csak útmutatóként tekintsük; az első néhány tucat darab tempója – a körülmények szerint – lassabb vagy gyorsabb is lehet. Minél előbbre haladunk, annál kevésbé alkalmas a darabok tempója változtatásra; az 5. és 6. füzetben levőknél ezek az előírások már a szokásos módon kötelezők. Ha a darabok sorszáma mellett * van, ez azt jelenti, hogy a függelék második felében erre a darabra vonatkozó jegyzet található.

Négy darabhoz (43., 44., 55. és 68. sz.) második zongora szólamot is közöltünk: fontos, hogy a tanulók minél korábban kezdjék meg az együttes játékot. Ezek a darabok ilyen kétzongorás formában persze csak osztálytanításnál használhatók, ha az osztályban – amint lenni kellene – van is két zongora. Négy darab pedig (65., 74., 95. és 127. sz.): *ének* zongorakísérettel. Minden hangszertanításnak tulajdonképpen a tanulók énekeltetéséből kellene kiindulnia. Ha ez így történik, akkor semmi különös nehézséget nem okoz ilyen

ének-zongora számok betanulása. Hasznuk nagy, mert a tanulók látókörét a kettős vonalrendszerről a hármasra tágítja (t. i. a tanuló egymaga énekeljen és zongorázzék is). A 74. és 95. számú darabot könnyítés céljából zongoraszólóra is közöltük. Így kell először megtanulni és csak azután kell fordulni az ének-zongora változathoz. A 65. számúnak előadási lehetőségeire az illető jegyzet utal.

A 4. füzettel egyidejűleg már más műveket is lehet, sőt kell játszatni (pl. a Bach J. S.-nak „Notenbüchlein für Anna Magdalena Bach"-jában levő könnyű darabokat, Czerny megfelelő tanulmányait stb.). Hasznos dolog az egyszerűbb gyakorlatokat és darabokat transzponáltatva is játszatni. Sőt az 1., 2. és 3. füzet arra alkalmas darabjainak átírásával is meg lehet próbálkozni; persze csak egészen szigorú átírásra gondolunk, olyanra, amelyben legnagyobbrészt cembalo-regiszterszerű oktávkettőzéseknek jut szerep. Így pl. egyes darabokat két zongorán lehet játszani egy oktávnyi magasságbeli eltéréssel (pl. a 45., 51., 56. stb. számúakat). Esetleg merészebb változtatásokba is bocsátkozhatunk; ilyen volna pl. a 69. sz. darab kíséretének egyszerűsítése:

stb.; nagyobb fejtörést csupán a 10–11., 14–15., 22–23., 26–27., 30. és 32–33-ik ütem átalakítása okozna. Ezen a téren sok lehetőség kínálkozik, a helyes megoldás a tanító vagy az ügyesebb tanítványok leleményességétől függ.

És ha már átiratokról van szó, azt is megemlíthetjük, hogy egynémelyik darab – így pl. a könnyebbek közül a 76., 77., 78., 79., 92., 104/b számú, a nehezebbek közül a 117., 118., 123., 145. számú, *clavicembalo*ra is alkalmas. Ezen a hangszeren az oktávkettőzéseket regiszterek végzik.

Végezetül ezeknek a daraboknak még egy másfajta rendeltetésére is szeretnék rámutatni: magasabb fokon levők lapról olvasásra alkalmas anyagot találhatnak benne.

BARTÓK BÉLA

Notturno

Notturno

Notturno

Notturno

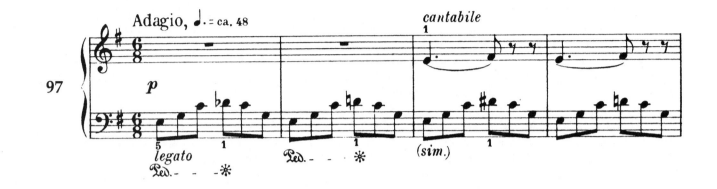

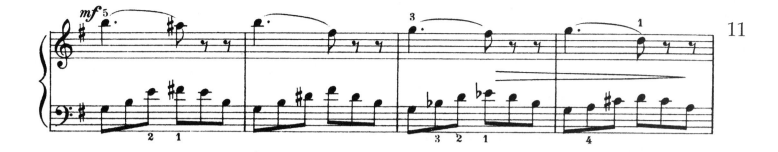

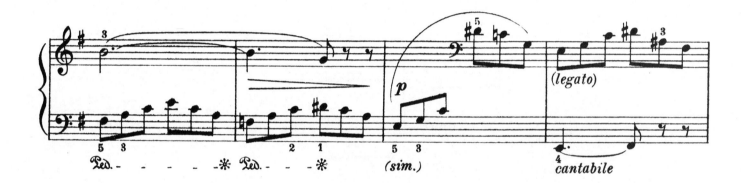

poco rallent. - - - - - -

[1 min. 40 sec.]

12

Thumbs Under

Pouces en-dessous

Daumenuntersatz

Alátevés

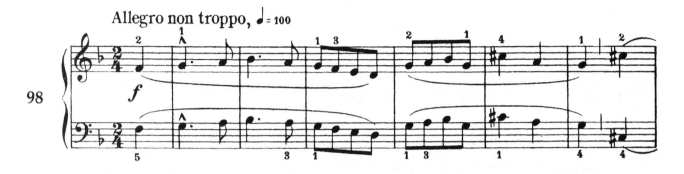

98

[35 sec.]

Hands Crossing

Mains croisées

Gekreuzte Hände

Kézkeresztezés

99

[1 min.]

In Folk Song Style

Chanson de style populaire

Wie ein Volkslied

Népdalféle

100

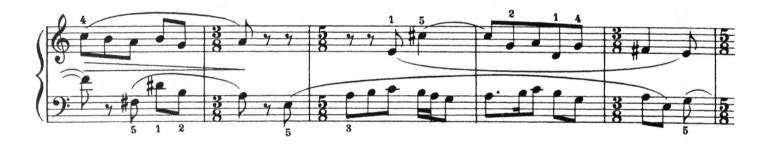

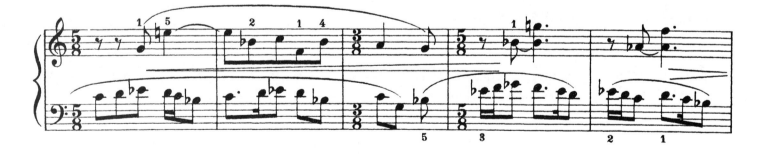

[45 sec.]

Diminished Fifth
Quinte diminuée
Verminderte Quinten
Szűkített ötödnyi távolság

101

[57 sec.]

Harmonics

Harmoniques

Obertöne

Felhangok

Allegro non troppo, un poco rubato, ♩ = ca 110

102

1) ♩, ♩   Press down keys without sounding
Touchez sans faire sonner
Die Tasten tonlos niederdrücken
A billentyű lenyomása ne szólaltassa meg a húrokat

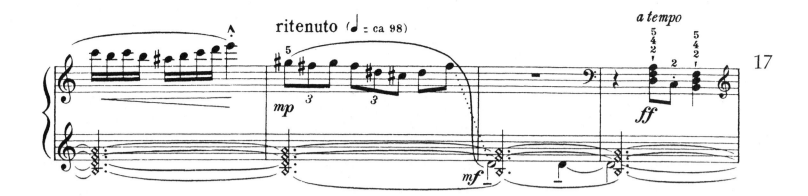

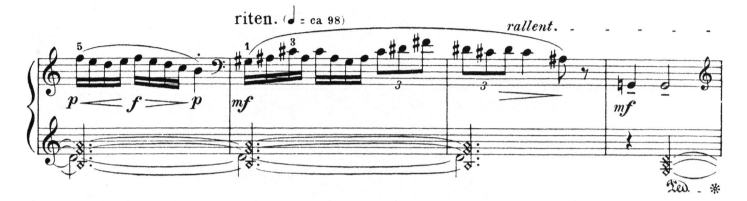

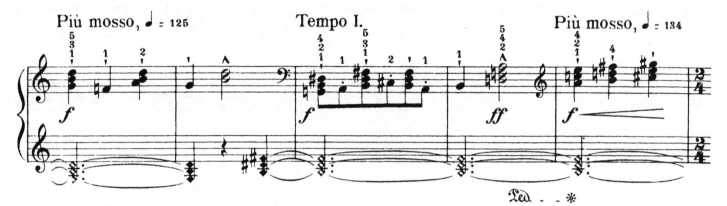

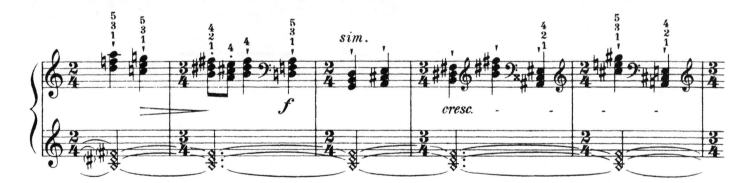

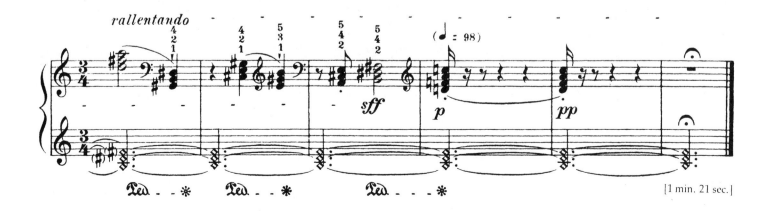

[1 min. 21 sec.]

Minor and Major

Mineur et majeur

Moll und Dur

Moll és dur

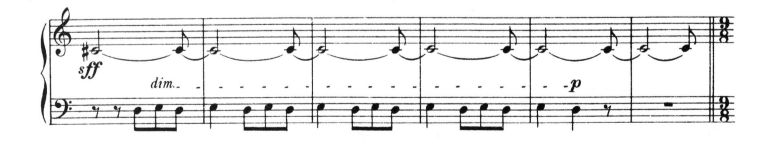

rep. ad libitum

[1 min. 15 sec.]

20

Wandering through the Keys
A travers les tonalités
Wanderung von Tonart zu Tonart
Vándorlás egyik hangnemből a másikba

a) Comodo, ♩=102

104

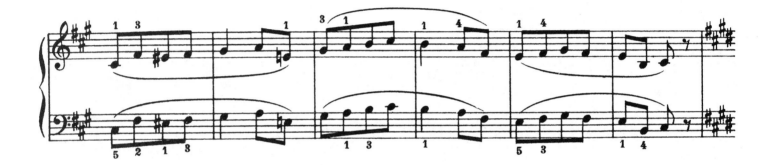

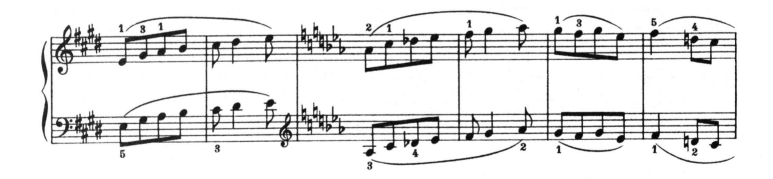

[30 sec.]

b)

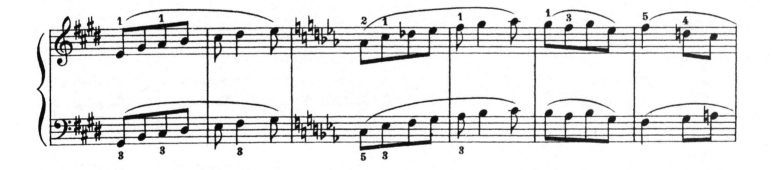

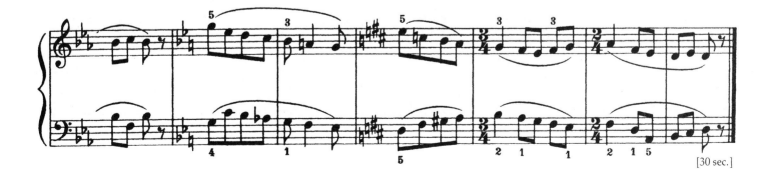

[30 sec.]

22

Game (with two five-tone scales)

Jeu (avec deux gammes à cinq notes)

Spiel (mit zwei Fünftonskalen)

Játék (két ötfokú hangsorral)

105

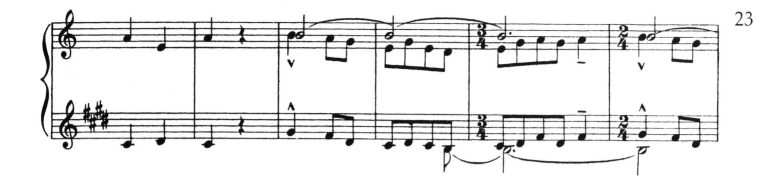

Tempo I.

accel. - - - - - - poco allarg. - - - - - -

ff

[1 min.]

Children's Song
Chanson enfantine
Kinderlied
Gyermekdal

Moderato, ♩ = 96

106

Un poco più lento, ♩ = 84

ritard.

Tempo I.

Più lento, ♩ = 80

Tempo I.

ritardando

[1 min. 5 sec.]

Melody in the Mist
Mélodie dans la brume
Melodie im Nebelgrau
Dallam ködgomolyagban

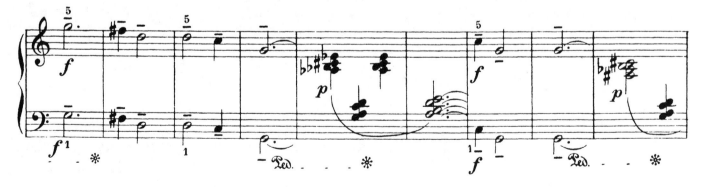

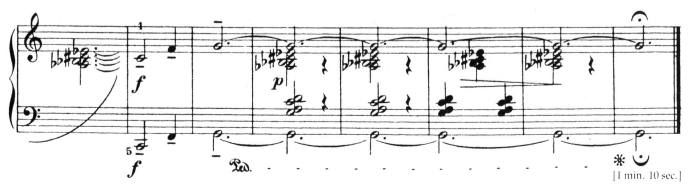

[1 min. 10 sec.]

Wrestling

Lutte

Ringkampf

Birkózás

[1 min.]

28

From the Island of Bali

De l'île de Bali

Auf der Insel Bali

Báli szigetén

109

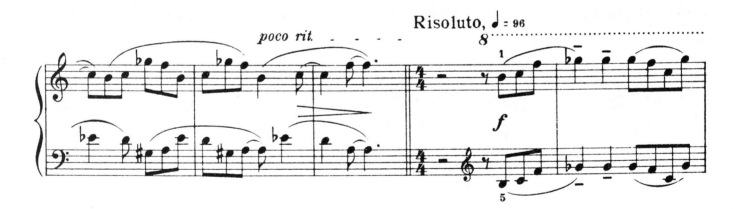

(prol. Ped.)

And the Sounds Clash and Clang . . .

Et les sons s'entrechoquent . . .

Und es klirren die Töne . . .

És összecsendülnek-pendülnek a hangok . . .

Tempo II.

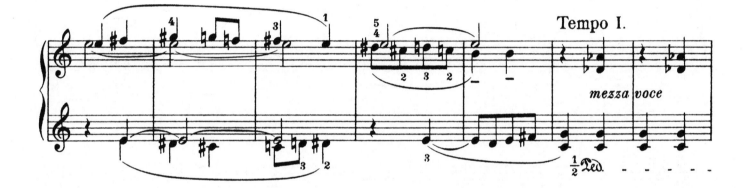

Tempo I.

mezza voce

½ Ped.

[1 min. 8 sec.]

32   Intermezzo

Molto tranquillo, ♩ = 108-116

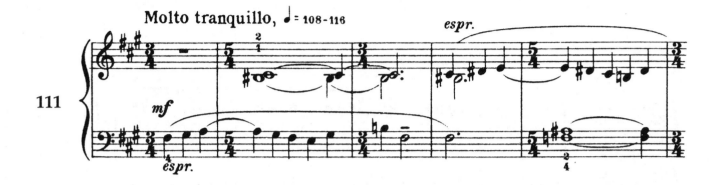

111

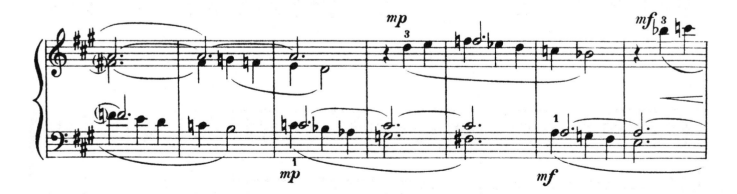

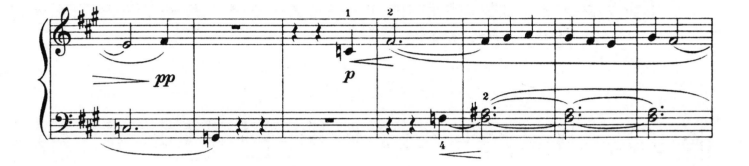

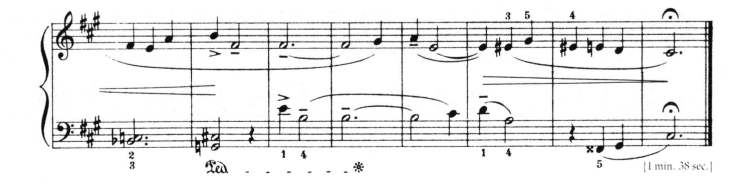

[1 min. 38 sec.]

Variations on a Folk Tune
Variations sur un air populaire
Variationen über ein Volkslied
Változatok egy népdal fölött

Un poco meno mosso, ♩=106

accel. _ *al* **Vivace,** ♩=138

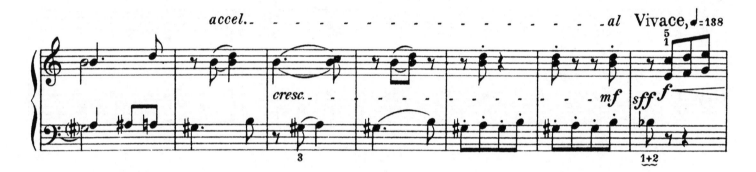

[1 min.]

Bulgarian Rhythm (1)

Rythme bulgare (1)

Bulgarischer Rhythmus (1)

Bolgár ritmus (1)

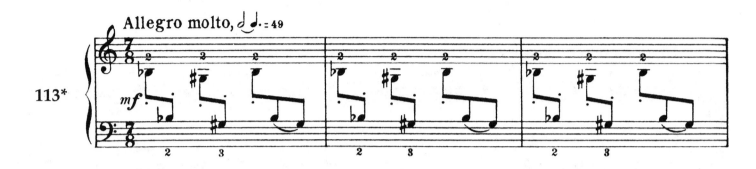

113*

mf (la II^a volta mp)

mp (la II^a volta p)

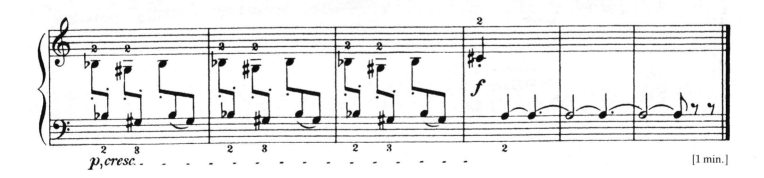

p, cresc.

[1 min.]

Theme and Inversion

Thème et inversion

Thema und Umkehrung

Téma és fordítása

[1 min. 15 sec.]

Bulgarian Rhythm (2)

Rythme bulgare (2)

Bulgarischer Rhythmus (2)

Bolgár ritmus (2)

115*

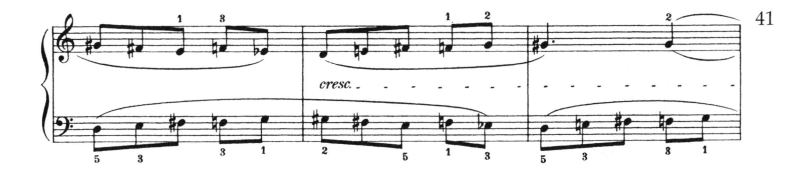

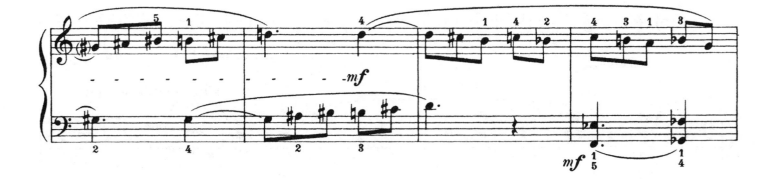

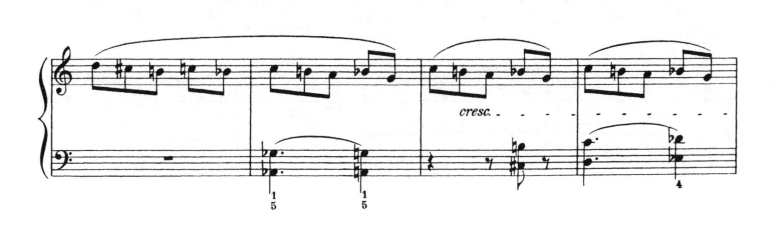

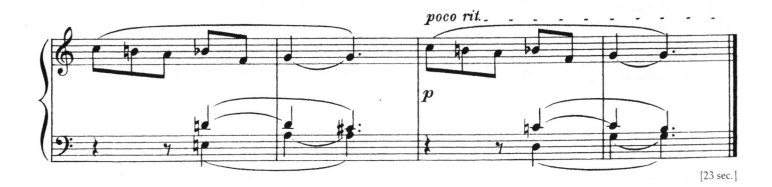

[23 sec.]

42

Song

Mélodie

Lied

Nóta

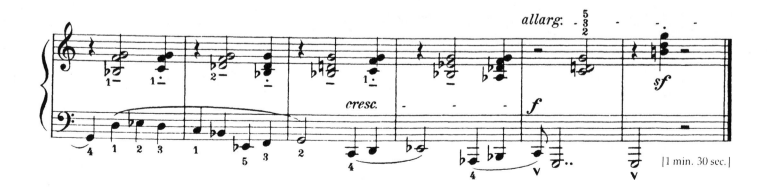

44 Bourrée

Bourrée

Bourrée

Bourrée

Allegretto, ♩ = 126-120

117

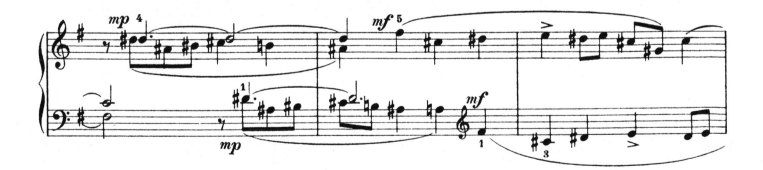

[1 min.]

Triplets in 9/8 Time
Triolets à 9/8
Triolen im 9/8-Takt
Triólák 9/8-ban

Allegro, ♩. = ca.116

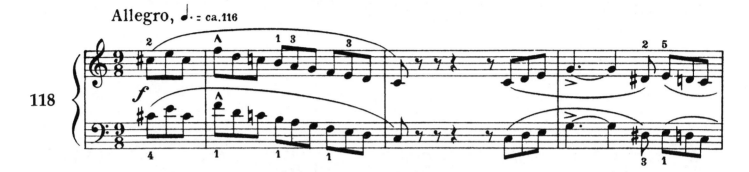

118

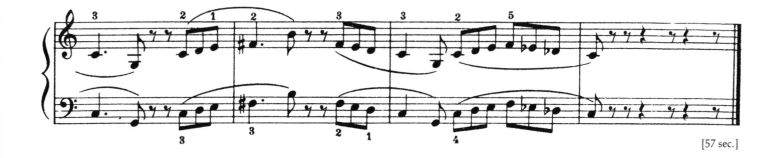

[57 sec.]

Dance in 3/4 Time

Danse à 3/4

Tanz im 3/4-Takt

3/4-es tánc

Allegretto grazioso, ♩ = 126

119

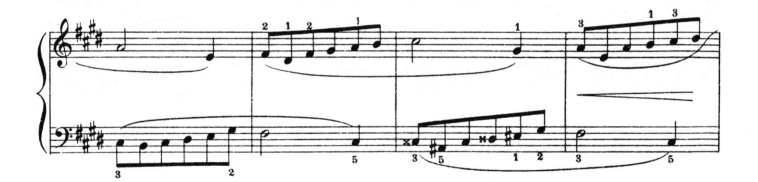

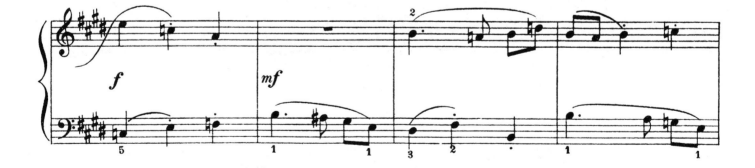

[50 sec.]

Triads

Accords parfaits

Dreiklänge

Kvintakkordok

120

[1 min.]

Two-part Study

Etude à deux voix

Zweistimmige Etüde

Kétszólamú tanulmány

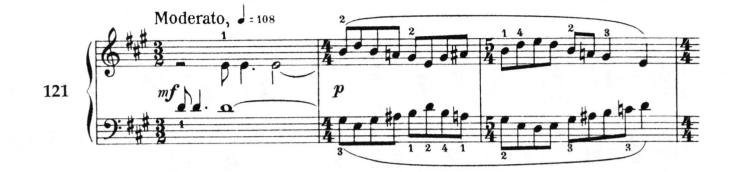

121

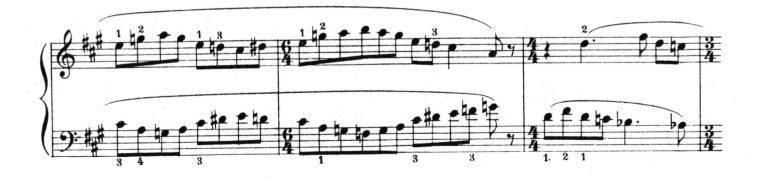

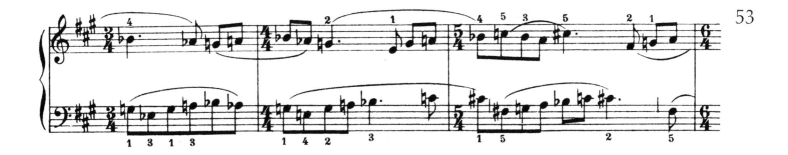

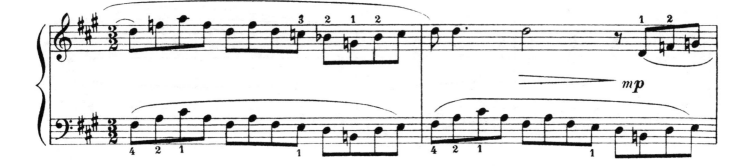

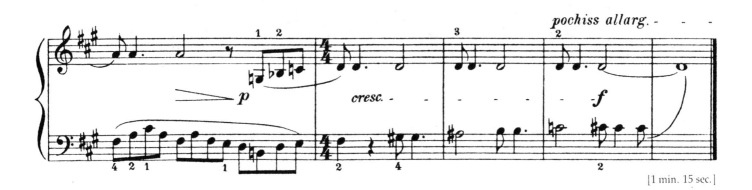

[1 min. 15 sec.]

Appendix: Exercises

Appendice: exercices

Anhang: Übungen

Függelék: gyakorlatok

31 (97)

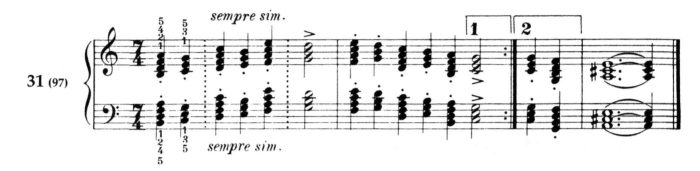

Allegro assai, ♩♩.=42

32 (98)

[22 sec.]

Allegro assai, ♩♩.=45

legato e leggero

33 (113)

(Ped.)

[33 sec.]

Printed by Halstan & Co. Ltd., Amersham, Bucks., England

113   The repetition may also be played in this way:

etc., with octaves throughout. In this case the *seconda volta* should be played louder than the *prima volta*. In order to develop a sense of rhythm it is advisable to play the piece in the following manner. Two students (or more advanced pianists) who are both perfectly familiar with the piece in its original form, should play it as a duet on one piano. The second player plays the three introductory and six closing bars as written, and, in the central part, doubles the accompaniment an octave lower (using both hands), while the first player doubles the melody in the upper octaves. Once this goes well, the roles should be reversed.

113,115   'Bulgarian rhythm', found frequently in the folk music of that country, refers to a rhythm where the beats within each bar are of unequal length, so that the subdivisions of each beat (♪ in these pieces) vary in number. The composer's use of this device is more developed in Volume 6, but the present volume contains these two examples: No.113 in $\frac{7}{8}(2+2+3)$ and No.115 in $\frac{5}{8}(3+2)$ (Editor).

113   Die Wiederholung kann auf folgende Art gespielt werden:

usw. – durchweg in Oktaven. In diesem Fall sollte die Wiederholung lauter gespielt werden. Für die Entwicklung des rhythmischen Gefühls ist es sehr wichtig, das Stück folgendermaßen zu spielen: Zwei Spieler, die das Originalstück perfekt beherrschen, sollten es vierhändig spielen. Der zweite Spieler übernimmt die drei Takte der Einleitung, die sechs Schlußtakte und ergänzt die Begleitung des übrigen Teils, indem er sie mit beiden Händen nach unten oktaviert, während der erste Spieler die Melodie nach oben oktaviert. Wenn diese Spielweise gut funktioniert, können die Rollen getauscht werden.

113,115   Unter „bulgarischem Rhythmus" wird folgende, in der Volksmusik Bulgariens häufig auftretende Erscheinung verstanden: Die Taktschläge innerhalb eines Taktes sind von ungleicher Länge, sodaß sich eine unterschiedliche Anzahl von Unterteilungseinheiten (♪ in diesen Stücken) in jedem Takt ergibt. Der Komponist hat dieses Mittel in weiterentwickelter Form in Heft 6 angewendet. Das vorliegende Heft enthält jedoch die folgenden zwei Beispiele: Nr.113 in $\frac{7}{8}(2+2+3)$ und Nr.115 in $\frac{5}{8}(3+2)$ (Anm.d.Hrsg.).

Notes

113   La reprise peut être jouée de la manière suivante:

etc., toujours en octaves. Dans ce cas, la *seconda volta* doit être jouée plus fort que la *prima volta*. Il est conseillé pour le développement du sens rythmique de jouer le morceau comme suit: deux élèves (ou même des exécutants avancés) qui maîtrisent déjà bien le morceau original, doivent le jouer à quatre mains. L'un d'eux jouera les trois mesures d'introduction et les six mesures finales telles qu'elles sont écrites et, dans la partie centrale, doublera l'accompagnement à l'octave inférieure (avec les deux mains), alors que l'autre doublera la mélodie dans les octaves supérieures. Après avoir exécuté le morceau de cette manière, ils doivent changer de place.

113,115   La qualification "en rythme bulgare" qui se trouve souvent dans la musique populaire de ce pays, fait allusion à un rythme dans lequel les temps à l'intérieur de chaque mesure sont de longueur inégale; aussi les subdivisions de chaque temps (ici ♪) varient-elles en nombre. Le compositeur emploie ce procédé d'une manière plus développée dans le volume 6, mais le présent volume contient les deux exemples suivants: le no.113 en $\frac{7}{8}(2+2+3)$ et le no.115 en $\frac{5}{8}(3+2)$ (Note du rédacteur).

Jegyzetek

113   Az ismétlés így is játszható:

stb., végig oktávában. Ebben az esetben a *seconda volta* erösebb legyen a *prima voltá*-nál. A ritmusérzék fejlesztésére nagyon fontos ennek a darabnak következő módon való játszása: két olyan tanuló, vagy akár magasabb fokon levő zongorista, aki már külön-külön jól tudja eredeti alakjában, játssza a darabot négykézre, mégpedig úgy, hogy az egyik a bevezető 3 és befejező 6 ütemet játssza, a közben levő kíséretet pedig alsó oktáva kettőzésben; a másik a dallamot játssza (két kézzel) felső oktáva kettőzésben. Ha így már jól megy, akkor a két szerepet föl kell cserélni: aki I.-t játszott, játsszék II.-t és fordítva.

113,115   A „bolgár ritmus", ami annak az országnak népzenéjében nagyon elterjedt, olyanféle ritmusra vonatkozik amelyikben az egyes ütemek főértékei nem egyforma hosszúak s így a főértékeket alkotó kis alapértékek (amelyek ezekben a darabokan ♪ -ok) száma változó. A szerző a hatodik füzetben messzemenően alkalmazza ezt a rendszert; ebben a füzetben két példa található: a 113. sz. $\frac{7}{8}(2+2+3)$ és a 115. sz. $\frac{5}{8}(3+2)$ ütemjelzéssel (a kiadó megjegyzése).